nouveau jus d'orange 1

méthode de français

A1.1

A. Cabrera
A. Payet
I. Rubio
E. F. Ruiz
M. Viera

CLE
INTERNATIONAL

Tableau des contenus

Tableau des contenus

Phonétique	Activité interdisciplinaire	Projet AMIS DU MONDE	Découvertes culturelles
Les mots transparents			
L'intonation : la phrase affirmative et la phrase interrogative	Musique	Youpi ! J'ai un(e) correspondant(e)	Je parle français !
Les sons [e], [v], [m]	Mathématiques	Mon école	L'école dans le monde
Les sons [s] et [z]	Arts plastiques	Qu'est-ce que tu aimes ?	Les jeux dans le monde
Les sons [y] et [u]	Histoire	Présente ta famille	Une famille pour les animaux
Les sons [b] et [v]	Sciences naturelles	Présente ton personnage préféré à ton/ta correspondant(e)	Les saisons autour du monde
Les sons [ã] et [ɔ̃]	Géographie	Mon plat préféré	Quelques spécialités de pays francophones

Mode d'emploi

Le livre de l'élève

Activité de découverte

Activité de développement

UNITÉ 4 Une famille formidable

Écoute et montre la bonne situation. 34

J'apprends à :
- présenter ma famille.
- exprimer l'appartenance.
- me situer dans l'espace.

trente-cinq • 35

Activité d'ouverture

Une explosion de couleurs !

DÉCOUVERTES CULTURELLES · JEUX · UNITÉ 2

1. Écoute et réponds. 19

a. Quelles couleurs tu entends ?
b. Noah demande à Amina un …

3. De quelles couleurs sont les ballons ?

a   b   c   d   e

4. JEU Lance le dé des activités scolaires et le dé des couleurs. Fais des phrases.

J'ai un crayon rouge.

Elle a un crayon rouge.

Cahier d'activités p. 15

2. Écoute et réponds aux questions. 20

Avoir
J'ai
Tu as
Il/Elle a

LES COULEURS

vert   bleu   rouge   rose

gris   blanc   marron

orange   noir

Labo des sons

Les sons [e], [v], [m]

Écoute et fais le bon geste. 21

pour [v] comme dans vendredi,

pour [e] comme dans école,

et pour [m] comme dans maman.

dix-neuf • 19

Activités de consolidation

Renvoi au Cahier d'activités

Activité de phonétique

Les tableaux

Grammaire

S'appeler
Je m'appelle
Tu t'appelles
Il/Elle s'appelle

Vocabulaire

Exprimer ses goûts
J'aime ♥
Je n'aime pas 💔

Les pictogrammes

1 **Activité de compréhension orale**

2 chanson **Chanson**

JEU **Jeu**

📷 **Vidéo**

Et aussi, des dessins animés, des vidéos, des jeux...

 **UNITÉ 0**

Bonjour les amis !

Écoute et réponds.

a. Tu reconnais quelles langues ?

b. Tu parles quelles langues ?

J'apprends à :
- réciter l'alphabet français.
- épeler un mot en français.

1. Écoute et montre la bonne image.  2

BOULANGERIE

CAFÉTÉRIA

TRANSPORTS

2. Écoute et chante. 3
chanson

C'est l'alphabet
C'est en français
On va danser
et s'amuser
A, B, C, D
A, B, C, D
E, F, G, H
E, F, G, H
I, J, K, L
I, J, K, L

3. Écoute et montre la bonne lettre. 4

L'alphabet

A	Amina	**H**	Hugo	**O**	Océane	**V**	Vanessa
B	Baptiste	**I**	Inès	**P**	Paul	**W**	William
C	Camille	**J**	Jade	**Q**	Quentin	**X**	Xavier
D	Damien	**K**	Kevin	**R**	Raphaël	**Y**	Yvan
E	Elsa	**L**	Lou	**S**	Sophie	**Z**	Zoé
F	Florian	**M**	Margot	**T**	Théo		
G	Gabriel	**N**	Noah	**U**	Ulric		

1. **Lis. Et toi, pourquoi tu apprends le français ?**

Pour lire des BD : Astérix, Tintin ou Lucky Luke...

ou voir des films en français.

Pour voyager en France et connaître mille aspects du pays.

UNITÉ 0

Pour comprendre un menu dans un restaurant...

et faire des courses.

Pour communiquer et avoir de nouveaux amis.

Pour étudier plus tard à l'étranger.

Lou, Noah et les autres

Qui parle ? Écoute et montre la bonne situation.

J'apprends à :

- me présenter, saluer.
- demander, dire comment ça va.
- dire où j'habite.
- compter de 0 à 10 et dire mon âge.

1. Écoute et réponds aux questions.

a. Comment s'appellent les enfants ?

b. Qui est nouveau ?

Saluer

Bonjour   Bonsoir

Prendre congé

Au revoir   Salut

2. Écoute et chante.
chanson

Quand il fait jour, je dis bonjour
Quand il fait noir, je dis bonsoir
Quand je pars, je dis au revoir
Et quand je suis poli, je dis merci !

S'appeler

Je m'appelle

Tu t'appelles

Il/Elle s'appelle

Les pronoms toniques singuliers

Moi, je m'appelle…

Toi, tu t'appelles…

Lui, il s'appelle…

Elle, elle s'appelle…

3. JEU Présente-toi avec un geste.

Je m'appelle Amina.

4. Présente-toi et présente tes amis, comme dans l'exemple.

Elle, elle s'appelle Lou ?

Moi, je m'appelle Saucisse. Toi, tu t'appelles Amina.

Comment tu t'appelles, toi ?

1. Écoute et montre la bonne photo. 8

a.

b.

c.

d.

e.

2. JEU Écoute, répète et imite le geste. 9

Demander comment ça va ?
Comment ça va ?

Réponses

- Génial !

- Super !

- Ça va bien, merci.

- Comme ci comme ça.

- Mal, très mal.

3. JEU Joue la scène.

Huum... des bonbons !

Merci.

Salut Théo, comment ça va ?

Salut Théo, ça va ?

Très, très bien, merci !

Non, ça va mal !

Tu habites où ?

1. Lis et réponds aux questions.

Bonjour,
je m'appelle Amina.
J'ai 10 ans.
J'habite 10 rue
Dragon, à Marseille.
Voici mon immeuble.
Elle, c'est mon amie
Lou ! Elle habite
1 rue du Moulin.

RUE DRAGON

a. Amina habite où ?
b. Lou habite où ?
c. Et toi, tu habites où ?

2. Écoute. Tu entends une différence ? 10

L'interrogation

Question	Réponse
Tu habites **où** ?	J'habite à Séville.
Tu as **quel** âge ?	J'ai 10 ans.
Comment tu t'appelles ?	Je m'appelle Lou.

Habiter

J'habite	Nous habit**ons**
Tu habit**es**	Vous habit**ez**
Il/Elle habite	Ils/Elles habit**ent**

3. Il(s) / Elle(s) habite(nt) où ?

Londres – Paris – Barcelone – Pise

a

b

c

d

4. Écoute et répète. 11

0 1 2 3 4 5 6 7 8 9 10

5. Dis ton âge et interroge ton/ta camarade.

Tu as quel âge ?

J'ai 10 ans, et toi ?

Labo des sons

L'intonation

Écoute. C'est une question : lève la main. 12

Comment tu t'appelles ? ↗
Je m'appelle Léa. ↘

Cahier d'activités p. 6

Zoom sur... la musique

1. **Écoute et répète.** 13

do   ré   mi   **fa**   sol   la   **si**   do   do   **si**   la   sol   **fa**   mi   ré   do

2. **Observe la portée et réponds aux questions.**
   a. Combien il y a de notes de musique différentes ?
   b. Combien il y a de lignes sur la portée ?

> **La musique**
> Une portée
> Une clé de sol
> Une note

3. **Sur ton cahier, dessine une portée avec une clé de sol.** 14
   Écoute et écris les notes.

Amis du monde

PROJET : Youpi ! J'ai un(e) correspondant(e).

Écris une lettre à ton/ta correspondant(e) pour te présenter.

Marseille, le 14 octobre 2018

Bonjour,

Je m'appelle Emma. J'ai 10 ans et j'habite à Marseille,
15 rue Alphonse Daudet.
Mon anniversaire, c'est le 3 mars.

Au revoir,
Emma

Écoute et lis la bande dessinée. Joue la scène puis réponds aux questions. 15

a. Où habite Lou ?

b. Où habite l'extraterrestre ?

Je parle français !

CANADA
Je m'appelle Nathan.
J'ai 11 ans.
J'habite à Montréal.

FRANCE
Je m'appelle Arthur.
J'ai 10 ans.
J'habite à Paris.

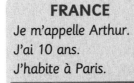

BELGIQUE
Je m'appelle Emma.
J'ai 11 ans.
J'habite à Bruxelles.

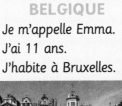

SUISSE
Je m'appelle Alice.
J'ai 10 ans.
J'habite à Genève.

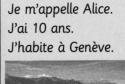

SÉNÉGAL
Je m'appelle Aïssatou.
J'ai 10 ans.
J'habite à Dakar.

LA RÉUNION
Je m'appelle Liam.
J'ai 10 ans.
J'habite à Saint-Denis
de la Réunion.

LIBAN
Coucou, c'est moi,
Saucisse !

**Lis le document
et réponds aux questions.**

a. Où habite Liam ?

b. Qui habite en Belgique ?

c. Où est Saucisse ?

d. Cherche d'autres pays francophones.

e. À ton tour, présente-toi (prénom, âge, pays).

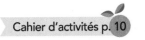

1. Où ils habitent ?

2. Trouve tous les chiffres 4. Relie-les avec le doigt et découvre le numéro secret.

0 1 2 6 7 6 5 4 8 9 0 1 7 8 6
0 1 7 3 4 6 7 8 5 9 4 7 6 3 2
9 8 4 7 2 9 8 9 4 2 9 8 1 2 3
1 2 8 5 8 6 0 9 3 8 2 1 5 9 7
0 9 8 2 7 4 6 5 1 2 1 0 7 8 0
3 9 5 6 8 7 3 9 2 0 1 3 6 8 5
3 5 6 4 8 2 9 3 4 1 0 4 3 9 8

3. Bataille des verbes. Choisis un verbe et un numéro. Ton/ta camarade donne la conjugaison comme dans l'exemple.

● 1 : « Habiter » + « Je » ➜ J'habite.

	Je	Tu	Il/Elle	Nous	Vous	Ils/Elles
Habiter	1	3	4	0	7	5
S'appeler	8	6	2			

4. Découvre le numéro.

UNITÉ 2

 C'est la classe !

J'habite à Marseille
Tu

Écoute et montre la bonne situation.  16

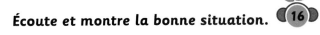

J'apprends à :

- identifier un objet.
- compter de 11 à 31.
- dire et écrire la date.
- parler de mon anniversaire.

1. **Écoute et réponds aux questions.** **17**

a. Dans son sac, Amina a … ?
b. Trouve la règle d'Amina sur le dessin.
c. Dans mon sac, j'ai …

2. **Écoute et fais le bon geste.** **18**

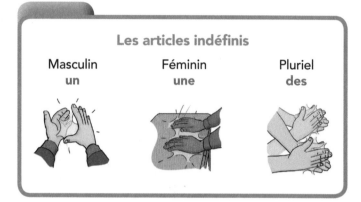

Les articles indéfinis

Masculin	Féminin	Pluriel
un	**une**	**des**

3. **JEU** **Joue au memory.**
Trouve deux cartes identiques
et nomme l'objet.

Un stylo !

Le matériel scolaire

un stylo

un feutre   un taille-crayon

un crayon

une trousse

une gomme

un cahier

un livre

un bâton de colle

un sac à dos

des ciseaux   une règle

Une explosion de couleurs !

1. Écoute et réponds. **19**

a. Quelles couleurs tu entends ?
b. Noah demande à Amina un ...

3. De quelles couleurs sont les ballons ?

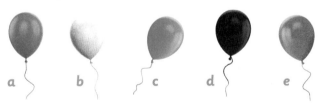

a   b   c   d   e

4. JEU **Lance le dé du matériel scolaire et le dé des couleurs. Fais des phrases.**

J'ai un crayon rouge.

Elle a un crayon rouge.

2. Écoute et réponds aux questions. **20**

Avoir
J'ai
Tu as
Il/Elle a

LES COULEURS

bleu   rouge

vert   rose

jaune   blanc

gris   marron

orange   **noir**

Labo des sons

Les sons [e], [v], [m]

Écoute et fais le bon geste. **21**

pour [v] comme dans vendredi,

pour [e] comme dans école,

et pour [m] comme dans maman.

Mon anniversaire

1. Écoute et donne la bonne réponse. 22

a. L'anniversaire d'Amina, c'est vendredi / samedi.
b. Amina a 9 / 10 ans.

Avoir

Nous avons
Vous avez
Ils/Elles ont

3. Les chiffres. Écoute, répète et complète. 24

onze	douze	treize	quatorze	quinze
11	12	13	14	15

seize	dix-sept	dix-huit	vingt	trente
16	17	18	dix-neuf 19 20	30

4. Écris la date dans ton cahier.

2. Écoute et chante. 23
chanson

Lundi, des raviolis
Mardi, des raviolis
Mercredi, des raviolis
Jeudi, des raviolis

Les jours de la semaine

lundi   mardi   mercredi   jeudi
vendredi   samedi   dimanche

Les mois de l'année

janvier   juillet
février
mars   septembre   août
avril
mai   novembre   octobre
juin   décembre

5. JEU Mon anniversaire c'est le... Devine !

Mon anniversaire est en hiver.

Oui.

Plus.

Oui, mon anniversaire est le 17 janvier !

C'est en janvier ?

C'est le 15.

C'est le 17.

Zoom sur... les mathématiques

1. Calcule en français.

Les signes mathématiques

plus +

moins —

égal =

2 + 2 = 4

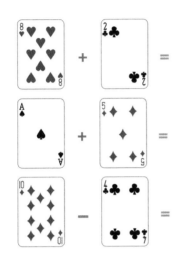

2. JEU Calcule.

Dix moins sept égalent trois.

Dix plus sept égalent dix-sept.

PROJET : Mon école

Réalise un reportage photo de ta classe pour ton/ta correspondant(e).

Lundi 26 novembre 2018

C'EST L'ÉCOLE !

La classe et les élèves : 13 filles et 12 garçons. Il y a aussi la maîtresse : madame Laroche.

Les affaires de classe : un sac à dos bleu, des cahiers, des stylos, des feutres, une gomme, une règle...

Écoute et lis la bande dessinée. Joue la scène puis réponds aux questions. 25

a. Qu'est-ce que Théo prête à Kevin ?

b. Qui est Kylian ?

L'école dans le monde

Observe, lis les documents et réponds aux questions.

Bonjour, c'est la salle de classe, avec les élèves et la maîtresse. La maîtresse s'appelle Alice.

C'est l'école. La maîtresse s'appelle Aissatou.

	LUNDI	MARDI	MERCREDI	JEUDI	VENDREDI
8h30 ▶	classe	classe	classe	classe	classe
11h30 ▶	pause déjeuner 🍴	pause déjeuner 🍴		pause déjeuner 🍴	pause déjeuner 🍴
13h30 ▶	classe	classe		classe	classe
15h30 ▶					
16h30 ▶					

a. Il y a combien d'élèves sur la photo a ? Et sur la b ?

b. Combien il y a d'élèves dans ta classe ?

c. Dans ta classe, il y a combien de filles ? Et combien de garçons ?

d. Où est la salle de classe de la photo b ?

e. Quel jour tu vas à l'école ? Quels jours tu ne vas pas à l'école ?

f. Comment s'appelle ta maîtresse/ton maître ?

1. Trouve six mots du matériel scolaire dans la grille. → ↓

```
G F L I V R E K A S
O A I O O F A L O T
M C O L L E G Q M Y
M Z C A H I E R M L
E R O E I E O D E O
N X C R A Y O N W C
```

2. Trouve les bonnes couleurs.

a.  +  = ?

b.  +  = ?

c. ? +  =

d. + ? =

3. Calcule et associe.

 7 + 8
 27
21 + 6
9 + 2
6 + 3
 11
 9
 15

4. Retrouve les jours et les mois.

DIJUE   ATOÛ   RMEBCÉDE   ADMEHNIC

RMSA   ICERMERD   VÉRIFRE

À tes souhaits !

Écoute et réponds. **26**

a. Montre les personnages.

b. Et toi, qu'est-ce que tu aimes ?

J'apprends à :

• exprimer mes goûts : dire ce que j'aime et ce que je n'aime pas.

• exprimer un souhait.

• utiliser des formules de politesse.

1. Qu'est-ce que c'est ? Observe et réponds.

a

b

c

d

L'interrogation

Qu'est-ce que c'est ?

– Qu'est-ce que c'est ?

– C'est l'alarme !

Qu'est-ce que tu... ?

– Qu'est-ce que tu as ?

– J'ai un cadeau.

2. Écoute et fais le bon geste. 27

Les articles définis

Le crayon
masculin

La voiture
féminin

L'ordinateur/L'école
masculin/féminin

Les taxis
féminin

4. JEU Dessine. Ton voisin devine.

Qu'est-ce que c'est ?

C'est la lune !

3. Montre les affaires. Qu'est-ce que c'est ?

• – Qu'est-ce que c'est ?
 – C'est le cahier bleu.

J'aimerais un cadeau !

1. Écoute et montre les cadeaux. 28

a

b

2. Écoute et montre le bon jeu. 29

Les jeux

un jeu de cartes

un CD

un puzzle

un cerf-volant

un livre

un drone

un jeu de réalité virtuelle

un skateboard

3. JEU Mime un cadeau.

Les formules de politesse

J'aimerais une bicyclette.
Je voudrais un jeu vidéo.

Tu aimerais un lecteur MP4 ?

Labo des sons

Les sons [s] et [z]

a. **Écoute et répète.** 30

Saucisse voudrait treize disques de musique classique !

b. **Lève la main quand tu entends le son [s] et tape dans tes mains quand tu entends le son [z].**

1. **Écoute et complète avec les bons mots.**

Noah : Tu sais j'aime aussi ★ et ★.

Lou : Moi aussi... Mais je préfère ★. Qu'est-ce que tu aimes, Théo ?

Théo : J'aime ★ et ★, mais je n'aime pas beaucoup ★. Et toi, Amina qu'est-ce que tu n'aimes pas ?

Amina : Moi, je n'aime pas ★.

Noah : Moi aussi et je n'aime pas ★, mais les hamburgers, ça, c'est super !

Théo : Et tes parents, ils aiment quoi ?

Noah : Ils aiment les vacances.

Théo : Moi aussi ! Nous aimons tous les vacances ! Bon, salut !

Lou, Amina, Noah : Salut à demain !

2. **Écoute et chante.** chanson

J'aime la galette, savez-vous comment ?
Quand elle est bien faite avec du beurre dedans.
Tra-la-la-la la, la-la-la-lère
Tra-la-la-la la, la-la-la-la.

Exprimer ses goûts

J'aime ♥

Je n'aime pas 💔

Aimer

J'aime

Tu aimes

Il/Elle aime

Nous aimons

Vous aimez

Ils/Elles aiment

---

3. **Lis et apprends avec des gestes.**

La négation

La négation c'est comme un hamburger.

Je ne suis pas un sportif.

Je n' aime pas la natation.

4. **JEU** **Enquête. Interroge tes camarades.**

• Il/Elle aime, il/elle n'aime pas

Hugo, il n'aime pas la boxe.

Luna, elle aime le volleyball.

Les goûts et les couleurs

Zoom sur... les arts plastiques

Observe les œuvres d'art. Dis si tu aimes ou si tu n'aimes pas. Réponds aux questions.

Léonard de Vinci, *La Joconde*, XVIe siècle.

Pablo Picasso, *Portrait de Dora Maar*, 1937.

Sonia Delaunay, *Rythme*, 1938.

a. Quelle est ta couleur préférée ?

b. Fais une enquête. Qui dans la classe aime la même couleur ?

c. Cherchez ensemble des mots qui représente cette couleur. Exemple : *Bleu → mer, ciel*

d. Fais un tableau à la manière de Sonia Delaunay.

 Amis du monde

PROJET : Qu'est-ce que tu aimes ?

1. **Fais un jeu de memory. Sur une carte écris le nom d'un jouet avec l'article défini. Sur l'autre carte dessine le jouet ou colle une photo.**

 Qu'est-ce que c'est ?

Les cadeaux

Le vélo

La musique

2. **Présente trois ou quatre cartes à ton/ta correspondant(e). Utilise « J'aime », « Je n'aime pas » et « Je voudrais ».**

3. **Joue au memory avec tes camarades.**

Salut Léo,

Moi, j'aime les cadeaux ! Je n'aime pas les livres.

Je voudrais un jeu vidéo.

Et toi, qu'est-ce que tu aimes ?

Qu'est-ce que tu voudrais ?

Jules

Bande dessinée

Écoute et lis la bande dessinée. Joue la scène et réponds. 33

Qu'est-ce qu'Amina n'aime pas ? (2 réponses)

a b c d

Les jeux dans le monde

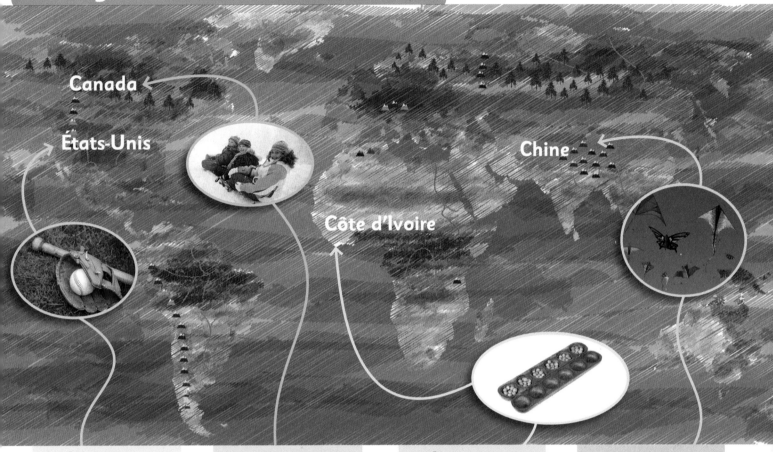

Canada

États-Unis

Chine

Côte d'Ivoire

ÉTATS-UNIS

Coucou, je suis Jack.
Aux États-Unis,
le sport national c'est
le base-ball ! Mon équipe
préférée c'est les Yankees
de New York !

CANADA

Je m'appelle Léa.
J'habite au Canada.
J'aime jouer à la luge
avec ma famille !

CÔTE D'IVOIRE

Bonjour, je m'appelle
Tayo, j'habite en Côte
d'Ivoire. J'aime le foot
et l'awalé. L'awalé c'est
le jeu traditionnel
de mon pays.

CHINE

Salut, je suis Fang.
J'habite en Chine.
J'aime jouer au
cerf-volant !

Lis et réponds aux questions.

a. Quel est le jeu traditionnel de Côte d'Ivoire ?
b. Où habite Léa ?
c. Fang aime quel jeu ?
d. Et toi, quel est le jeu traditionnel de ton pays ?

1. Répète et ajoute un nouveau cadeau.

2. Voilà les cadeaux d'anniversaire de Noah. Trouve l'intrus.

3. Joue au jeu de l'oie.

Compréhension orale

1. Écoute les dialogues et choisis le bon dessin.

DIALOGUE 1

a   b   c

DIALOGUE 3

a   b   c

DIALOGUE 2

a   b   c

DIALOGUE 4

a   b   c

2. Écoute Léa et choisis la bonne réponse.

a. **Léa a…**
   1. 9 ans.   2. 10 ans.   3. 11 ans.

b. **Elle habite à….**
   1. Bordeaux.   2. Marseille.   3. Paris.

c. **Son anniversaire est le…**
   1. 13 janvier.   2. 20 octobre.   3. 12 novembre.

d. **Son cadeau d'anniversaire, c'est…**
   1. un ballon noir et blanc.   2. un livre.   3. un puzzle.

e. **Elle aime aussi…**
   1. le football et le skateboard.   2. les puzzles et le football.   3. les livres et les jeux vidéo.

Production orale

1. Parle de toi. Réponds aux questions.

- Comment tu t'appelles ? Tu peux épeler ton nom ?
- Tu as quel âge ?
- Tu habites où ?
- Qu'est-ce que tu aimes ?
- Quelles sont tes couleurs préférées ?
- Quel est ton jeu préféré ?

2. Observe les images et réponds aux questions.

- Qu'est-ce que c'est ?
- Quel objet tu aimes ?

Compréhension de l'écrit

1. Associe les textes aux images qui correspondent.

1 Mon sac à dos est rose et noir. Dans mon sac, il y a une trousse rose avec des crayons et des feutres de couleurs.

2 Dans mon sac à dos, il y a des cahiers et des livres. J'ai des ciseaux et des crayons. J'ai aussi une pomme rouge pour la récréation.

3 Dans mon sac marron, il y a des livres et des cahiers. J'ai aussi des stylos et une règle pour les maths.

a

b

c

Production écrite

1. C'est ton anniversaire. Dans ton cahier, écris la carte d'invitation à ta fête d'anniversaire.

> *C'est mon anniversaire !*
> ★ ans
> Je t'invite le ★
>
> à l'adresse : ★
> Réponse souhaitée avant le ★   Prénom : ★
>   Nom : ★
> Téléphone : ★

**2. Recopie la carte postale dans ton cahier.
Remplace les dessins par les mots, comme dans l'exemple.**

• J'♥ le tennis. → J'aime le tennis.

> Salut !
>
> C'est la rentrée ! J'ai un sac à dos.
>
> Dans mon sac à dos, il y a une ✏ ,
>
> un 📕 , une ✒ et des 🖊 .
>
> J'♥ les matchs de ⚽ . Je 💔 le 🏀 .
>
> Je préfère la 💃 .
>
> Le 4 octobre, c'est mon 🎂 . Je t'invite.
>
> Gros bisous,
>
> Lisa

Paul Lebrun
20, rue des Surprises
Marseille

Écoute et montre la bonne situation. 🍎 36

J'apprends à :

- présenter ma famille.
- exprimer l'appartenance.
- me situer dans l'espace.

1. Écoute et montre la bonne personne. 37

Les adjectifs possessifs

mon	ton	son
ma	ta	sa
mes	tes	ses

2. JEU Qui c'est ?

Réponds aux devinettes.

a. C'est une fille. Son père est le frère de mon père.

b. C'est le frère de ma cousine.

c. C'est la mère de la mère de mon frère.

La famille

| le grand-père | le père | le frère | l'oncle | le cousin |
| la grand-mère | la mère | la sœur | la tante | la cousine |

3. Présente ta famille.

Mon père s'appelle Juan et ma mère s'appelle Inès. J'ai une sœur, elle s'appelle Clara. Mes grands-parents s'appellent Sophie et Pierre.

4. Écoute et chante. 38
chanson

J'aime papa, j'aime maman,
J'aime mon p'tit chat,
mon p'tit chien, mon p'tit frère
J'aime papa, j'aime maman,
J'aime ma grand-mère
et mon gros éléphant.

Je suis caché !

1. **Observe l'image et les deux encadrés puis réponds par « vrai » ou « faux ».**

a. Noah est derrière la télévision.

b. Amina est sur le canapé.

c. Théo et Saucisse sont devant la table.

Être	
Je **suis**	Nous **sommes**
Tu **es**	Vous **êtes**
Il/Elle **est**	Ils/Elles **sont**

Les prépositions de lieu

devant — derrière — dans

sur — sous — à côté de

2. **Observe l'image et interroge ton/ta voisine(e).**

• – Qui c'est derrière la télévision ?   – C'est Noah !

3. **JEU** **Compose une phrase avec le code secret. Ton/Ta voisin(e) devine.**

• BEXA ➜ Nous sommes dans la piscine !

Je	C	suis	O	sur	D		
Tu	F	es	U	devant	R	la piscine	A
Il/Elle	S	est	A	derrière	V	la moto	E
Nous	B	sommes	E	dans	X	la télévision	O
Vous	T	êtes	I	à côté de	J	le taxi	I
Ils/Elles	L	sont	Y	sous	F		

4. **JEU** **Cache un objet dans la classe. Donne des pistes. Un élève devine.**

Il est devant Théo, sous la table entre Amina et Lou.

Les animaux de compagnie

1. Lis l'article et réponds aux questions.

VOUS ÊTES CHIENS, CHATS OU NAC ?

Les Français adorent les chats, les chiens et les poissons.

Les NAC (Nouveaux Animaux de Compagnie) sont aussi à la mode en France. Par exemple, les serpents, les araignées ou les caméléons sont des NAC.

C'est original, mais c'est dangereux parfois !

Tu aimerais avoir un crocodile dans ton salon ?

a. Qu'est-ce qu'un NAC ?

b. Réponds à la question de l'article.

c. Tu as ou tu aimerais avoir un animal de compagnie ? Interroge ton/ta voisin(e).

2. Trouve l'intrus.

Les animaux

un chat un chien un poisson un oiseau

un serpent un loup-garou un caméléon un hamster

3. JEU Choisis un animal et mime.

4. JEU À deux, imaginez un nouvel animal.

a. Dessinez-le.

b. Donnez-lui un nom.

Un oispent

Labo des sons

Le son [y] et le son [u] **39**

Le loup-garou hurle à la lune.

Écoute et lève les bras quand tu entends le son [y].
Baisse les bras quand tu entends le son [u].

Zoom sur... l'histoire de France

Qui c'est ? Observe et découvre des grands personnages de l'histoire de France.

Marie-Curie – Louis XIV – Jeanne d'Arc – Victor Hugo

C'est un roi de France.

C'est un écrivain.

C'est une scientifique.

C'est une guerrière du Moyen Âge.

 Amis du monde

PROJET : Présente ta famille

1. Sur une grande feuille de papier, dessine un bel arbre.

2. Colle les photos de ta famille.

3. Écris sous chaque photo le nom de chaque membre de ta famille.

4. Envoie ton arbre à ton/ta correspondant(e).

Écoute et lis la bande dessinée. Joue la scène et réponds aux questions.

a. Qui est dans le jardin ? **b.** Qui est sur la photo ? **c.** Qui habite derrière l'école ?

C'est le coffre de ma grand-mère. Il y a des trésors dans le coffre !

Saucisse, non ! Heu… non !

C'est un prince ! C'est ton grand-père, Lou ?

Mamaan !

Maman, c'est Papi ?

Oh, non… Demande à ton père. Il est dans le jardin.

C'est qui ?

Papa, papa, c'est qui ?

Euh, non… demande à ta grand-mère.

Papa, c'est grand-père ?

Elle habite où ta grand-mère ?

Elle habite derrière l'école.

Mamie, il y a un prince dans la famille ?

Un prince, hi ! hi ! hi ! Mais non, c'est mon père ! Un grand acteur de cinéma !

Une famille pour les animaux

Bonjour je m'appelle Ken. J'ai 9 ans, j'habite aux Philippines !
J'aime les animaux. Il y a beaucoup d'animaux seuls. Alors avec mon père,
on aide les chats et les chiens. C'est important !
J'ai une association « Happy Animals Club » (https://www.happyanimalsclub.org/).
Des personnes aident notre projet sur Internet.

Voici Tilou,
un chiot.

Et là, c'est
**Saxo le papa
de Tilou.**

Ici, c'est
Toby.
Il est rigolo.

Ce sont des chiens
de la rue. Maintenant
ils ont une maison. Ils
mangent bien. Ils vont
chez le vétérinaire.

Lis les documents et réponds aux questions.

a. Quel âge à Ken ? Où il habite ?
b. L'association de Ken aide :
   1. les chiens des rues.
   2. les personnes âgées.
   3. les enfants à l'école.
c. Qui est Tilou ?
d. La SPA qu'est-ce que c'est ?

D'après Géo Ado.

**En France, la SPA (société protectrice
des animaux) aide les animaux
abandonnés. Les animaux habitent
dans le refuge de l'association.
Ensuite des familles adoptent
les chats et les chiens.**

1. Où est Charline ?

Charline est dans le bus derrière Noah, devant Lou et à côté d'Amina.

2. Touche et devine.

C'est Clémence.

C'est qui ?

3. Écris dans ton cahier les mots à l'endroit.

JE SUIS

TU ES

NOUS SOMMES

DEVANT

SOUS

DANS

4. Trouve le message secret.

• C = A
   donc D = …
        E = …

Lg uwku vqp rgtg !

A
B
C
D
E
F

Qui est qui ?

Écoute et réponds. 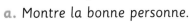 **41**

a. Montre la bonne personne.

b. Comment s'appellent les amis d'Amina ?

> **J'apprends à :**
> • décrire quelqu'un physiquement.
> • présenter mes amis.
> • décrire un vêtement.

 De la tête aux pieds

1. Écoute et danse. 42 chanson

Tête, épaule, genoux et pieds,
J'ai un front et un nez,
deux yeux et deux oreilles.
J'ai des dents, une bouche,
un menton et des cheveux.
J'ai un cou, une poitrine,
un dos et puis un ventre.
J'ai deux mains et deux bras,
deux coudes et puis des doigts.

Le pluriel des noms

une jambe / deux jambes
un pied / deux pieds
une oreille / deux oreilles
un doigt / cinq doigts

ATTENTION

un œil 👁 / des **yeux** 👁 👁
un cheveu / des cheveux

2. Écoute, répète et montre les parties du corps. 43

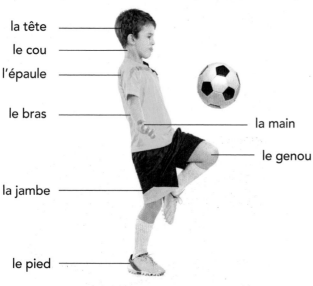

la tête
le cou
l'épaule
le bras
la main
le genou
la jambe
le pied

les cheveux
le sourcil
l'œil
l'oreille
le nez
la bouche

3. JEU Montre et fais deviner les mots à ton équipe.

L'oreille.

4. a. Écoute et trouve le monstre.
b. À toi ! Invente un monstre. 44

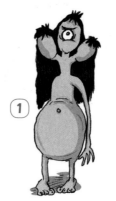 ①
 ②
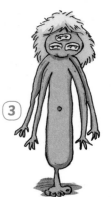 ③

Cahier d'activités p. 48

1. Écoute l'exemple. Qui est-ce ? **Maintenant, à toi !**

• C'est Isabelle. C'est…

Amina Frank Christine Rachid Lou

Kamel Isabelle Théo Safoua Aurélien

3. Décris ta star préférée.

C'est Kylian Mbappé. Il a les cheveux noirs et courts. Il a les yeux noirs. Il est grand. Il est footballeur. Il est champion du monde !

2. JEU Fais découvrir un(e) camarade.

des yeux bleus   des yeux verts   des yeux marron   des yeux gris

des cheveux longs   des cheveux courts   des cheveux frisés

Le masculin et le féminin des adjectifs

Il est brun   Il est roux

Elle est brune   Elle est rousse

Il est grand   Elle est grande

4. Voici la famille Indestructible. Lis et dis si c'est vrai ou faux.

Elastigirl s'appelle Hélène Parr. Elle est très souple. Elle est grande. Elle a les cheveux courts et marron. Ses yeux sont marron.

a. Monsieur Indestructible a les cheveux bruns.
b. Elastigirl est grande.
c. Elastigirl a les yeux marron.
d. Violette est invisible.
e. Violette a les cheveux courts.

Monsieur Indestructible s'appelle Bob Parr. Il est très fort. Il est grand et gros. Il est blond et il a les cheveux très courts.

Violette est la fille de Bob et Hélène. Elle est invisible. Elle a des cheveux longs et noirs. Elle a les yeux bleus.

1. Écoute. Amina prend quels vêtements pour la classe verte ? Et Lou ? 46

Adjectifs irréguliers

beau / belle
nouveau / nouvelle
vieux / vieille
long / longue

2. Lis et montre les bons vêtements.

La jupe d'Amina est bleue. Et Amina porte un joli pull bleu. Elle ne porte pas son vieux pull marron ! Elle a des chaussures vertes.

La robe de Lou est longue et rose. Lou a des chaussures blanches. Elle n'a pas de chapeau.

3. Écoute et tape dans tes mains quand tu entends le féminin. 47

L'appartenance : d' – de

C'est la robe **d'**Amina.
C'est le pantalon **de** Théo.

4. JEU Observe, mémorise et dis les vêtements de ton/ta camarade.

Elsa porte...

Labo des sons

Les sons [b] et [v]

Écoute. 48

Tape dans tes mains quand tu entends le son [b], comme dans **b**askets et tape sur la table quand tu entends le son [v] comme dans **v**endeur.

 [b]

 [v]

Zoom sur... les sciences naturelles

1. Écoute et réponds aux questions.

  a. Trouve la saison.

  b. Quel temps il fait ?

2. Les saisons correspondent à quels mois ?

3. Associe les vêtements et les accessoires aux bonnes saisons.

Les 4 saisons

L'hiver — Il neige. Il fait froid.

Le printemps — Il fait beau.

L'été — Il fait chaud. Il y a du soleil

L'automne — Il pleut.

un bonnet

un maillot de bain

des lunettes de soleil

un imperméable

une écharpe

 Amis du monde

PROJET : Présente ton personnage préféré à ton/ta correspondant(e).

1. Choisis un personnage de bande dessinée, un acteur, une actrice, un chanteur, une chanteuse, un sportif, une sportive...

2. Présente ton personnage à ton/ta correspondant(e).

3. Ajoute sa photo.

Mon personnage préféré, c'est Cédric. Il a une amie. Elle s'appelle Chen.

Cédric est petit. Il est blond, il a un gros nez, une grande bouche et des petits pieds. Son amie s'appelle Chen.
Elle a les cheveux noirs et longs, des petits yeux et un petit nez.

Cédric porte un tee-shirt vert et un pantalon bleu. Chen aime le rouge. Elle porte une belle robe rouge et des chaussures rouges.

Cauvin et Laudec © Dupuis, 2019.

Écoute et lis la bande dessinée. Joue la scène. 50

a. Dessine le monstre d'Amina.　**b.** Dessine le monstre de Lou.　**c.** Dessine le monstre de Noah.

Alors Amina, qu'est-ce que c'est ?

Lou, c'est un monstre !!

Il a une grosse tête, des cheveux jaunes, un œil et des grandes jambes.

Où est-il ?

Aaaah ! Oui… C'est un monstre ! Mais il a une petite tête, des petits bras et trois yeux verts.

Chut, Lou.

Non, non, il est grand avec des petits pieds et une bouche très grande !

Silence !

C'est un monstre très méchant. J'ai peur !

Oh, c'est un joli lapin !

Les saisons autour du monde

Les saisons ne sont pas les mêmes dans tous les pays et aux mêmes moments. Quand c'est l'été au pôle nord, c'est l'hiver au pôle sud.

En France, en Suisse, en Belgique, au Canada, il y a 4 saisons : le printemps, l'été, l'automne et l'hiver. Dans d'autres régions, il y a seulement 2 saisons. Par exemple sur l'île de la Réunion, il y a la saison sèche et la saison des pluies. À la saison des pluies, il pleut et il fait très chaud. À la saison sèche, il fait très beau et il ne fait pas trop chaud. C'est très agréable. La saison des pluies va de novembre à avril. La saison sèche va de mai à octobre.

À travers le monde...

C'est Noël au Brésil, mais il ne fait pas froid.

La ville du Cap en Afrique du Sud, au mois de décembre.

Un village sous la neige en France, au mois de décembre.

Calendrier des saisons en France

- **Printemps** : du 20 mars au 20 juin
- **Été** : du 21 juin au 22 septembre
- **Automne** : du 23 septembre au 20 décembre
- **Hiver** : du 21 décembre au 19 mars

Lis le document et réponds.

a. En France, il y a combien de saison ?

b. À Rio de Janeiro, quel temps il fait à Noël ?

c. Cite un pays où il fait très chaud en janvier.

d. Combien il y a de saisons dans ton pays ?

e. Quelle est ta saison préférée ? Pourquoi ?

1. Joue au pendu avec les vêtements.

2. Observe les dessins et trouve les erreurs. Il y a une erreur par dessin.

3. Dis une partie du corps. Ton/Ta camarade montre la partie du corps et dis une autre partie du corps...

À table !

pain
confiture
beurre
fromage
yaourts
lait
chocolat
poulet
haricots verts
fraises
salade
tomates
pommes de terre
poisson

Écoute Théo et lis sa liste 51
de courses. Il a tout ?
Quel aliment n'est pas dans le caddie ?

J'apprends à :

• exprimer mes besoins.

• parler des repas.

• lire et comprendre un menu.

• lire et comprendre une recette.

1. Écoute. Vrai, faux, on ne sait pas ! 52

a. Théo n'aime pas les frites.
b. Il déteste le poisson.
c. Il adore la salade.

Les repas	
le petit déjeuner	le goûter
le déjeuner	le dîner

2. Écoute à nouveau et montre des aliments 52
du petit-déjeuner, du déjeuner et du dîner de Théo.

des haricots verts

du beurre

de la confiture

des fraises

du poulet

du poisson

des pommes de terre

3. Et toi, quels aliments tu aimes ?

4. JEU Mime un aliment.
Tes camarades devinent.

C'est du poisson.

Cahier d'activités p. 58

Qu'est-ce que tu manges ?

1. Écoute et trouve le plateau de chaque enfant.  53

a

b

c

d

2. Complète avec le bon partitif.

Les articles partitifs

Masculin	Féminin
du	de la

Pluriel
des

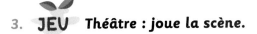
— Pour le déjeuner, je mange ★ salade et une saucisse avec ★ purée de pommes de terre. Après, je mange ★ fromage et un yaourt.
— Moi, je mange ★ saucisson et ★ spaghettis et pour le dessert, ★ fraises. J'adore les fruits !

Le couvert

une fourchette   un verre   une petite cuillère

une cuillère

une assiette

une serviette   une nappe   un couteau

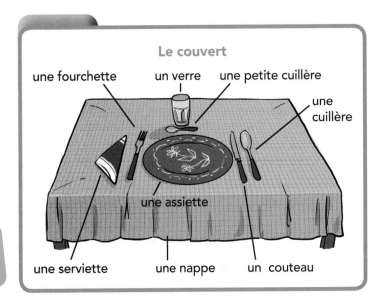

3. JEU Théâtre : joue la scène.

Qu'est-ce que vous désirez manger ?

Labo des sons

a. Écoute la chanson. Dans quels mots 54 tu entends le son [ã] ? Et le son [ɔ̃] ?

b. Cherche dans ton livre des mots avec le son [ã] et des mots avec le son [ɔ̃].

Pêche poire et orange,
C'est des fruits et on les mange.
Pêche poire et melon
C'est des fruits et c'est bien bon !

1. Écoute et réponds. 55

a. Est-ce qu'il y a du coca ?
b. Quels aliments demande Théo ?
c. Quel fruit aime Lou ?

Avoir faim
J'ai faim.
Il a faim.

Avoir soif
J'ai soif.
Elle a soif.

Il y a...
Il y a du chocolat ?
Il y a des hamburgers ?

Il n'y a pas...
Non, il n'y a pas de chocolat.
Non, il n'y a pas d'hamburger.

2. Regarde l'image et pose des questions comme l'exemple. Ton/Ta camarade répond.

• – Il y a du poulet ?
– Non, il n'y a pas de poulet

3. Écoute cette chanson sur Internet et chante.

Je suis une pizza
Avec du fromage
Beaucoup de sauce
Des tomates
Des oignons, des champignons

Je suis une pizza, Charlotte Diamond.

4. Écoute et montre les ingrédients. 56

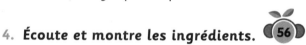

5. Écoute et mets les images dans l'ordre. 57

6. JEU Mets les verbes à l'impératif et mime.

a. parler   b. sauter   c. mélanger   d. chanter

L'impératif singulier
Pour donner des ordres, des instructions.
ajouter → ajoute

Zoom sur... la géographie

Découvre les grandes villes françaises.
Associe chaque spécialité à sa ville.

PROJET : Mon plat préféré

Donne à ton/ta correspondant(e) la recette d'un plat que tu aimes bien.

C'est facile
et c'est super bon !

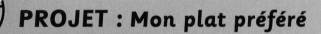
Les œufs mimosas

Ingrédients
- 8 œufs
- de la mayonnaise
- des feuilles de salade

Préparation
- Prépare des œufs durs.
- Prépare une mayonnaise.
- Coupe les œufs en deux.
- Sépare les jaunes et les blancs.
- Écrase les jaunes et mélange avec la mayonnaise.
- Place cette préparation dans les blancs.
- Dispose les œufs dans un plat, sur des feuilles de salade.
- Déguste frais

Bon appétit !

Bande dessinée

Écoute et lis la bande dessinée. Joue la scène et réponds aux questions. 58

a. Qu'est-ce que mange Saucisse ?   **b.** Qu'est-ce qu'il ne mange pas ?

Lundi 3 mars

Mange, Saucisse !

Berk, je n'aime pas les croquettes !

Mercredi 5 mars

Saucisse, qu'est-ce que tu as ?

Samedi 8 mars

Saucisse ne mange pas.

Regarde, il est gros !

J'ai faim. Vite, des saucisses !

Bonjour, Saucisse. Tu as faim ? Bon appétit.

Oh le chien ! Il a faim.

Hum, c'est bon le jambon.

Hum, une pizza au fromage. Miam, miam !

Oh, Saucisse !

J'ai mal. Aïe, Aïe !

Oh, non... J'ai soif !

Allez Saucisse, un peu de sport maintenant !

Quelques spécialités de pays francophones

J'habite à Québec.
Ici, la spécialité
c'est la poutine.
C'est un plat très simple.
Il y a des frites, des boules
de fromage et une sauce
brune. Miam !

Le vendredi au Maroc,
c'est le jour du couscous.
C'est un plat complet.
Dans le couscous,
il y a de la viande,
des légumes
et de la semoule.
C'est super bon !

Le dimanche,
pour le goûter, je mange
des gaufres sur la Grand-
Place de Bruxelles. J'aime
beaucoup les gaufres au
chocolat. La recette des
gaufres est simple : il faut
de la farine, du sucre, du lait,
de la levure et des œufs.

Avec mon père, pour Mardi gras,
on prépare des crêpes. C'est la tradition
en France. Il faut de la farine, du sucre,
du lait, du sel, du beurre
et des œufs.

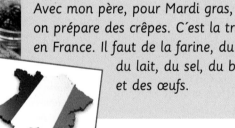

Lis le document et réponds.

a. Quel jour on mange du couscous ?

b. Qu'est-ce que Malo prépare avec son père ?

c. Quelle est la spécialité du Québec ?

d. Quelle spécialité de la page tu prépares
avec les ingrédients proposés ?

e. Présente une spécialité de ton pays.

1. Retrouve le ticket de chaque table.

a

RESTAURANT MIAM MIAM

1 SALADE DE TOMATES

1 SALADE VERTE

1 POISSON-RIZ

1 PÂTES À LA CRÈME

1 BOUTEILLE D'EAU

2 GLACES AU CHOCOLAT

b

RESTAURANT MIAM MIAM

1 SALADE DE TOMATES

1 CRÊPE ŒUF-FROMAGE

1 POISSON-RIZ

1 BOUTEILLE D'EAU

2 COMPOTES DE POMMES

c

RESTAURANT MIAM MIAM

1 SALADE VERTE

1 CRÊPE ŒUF-FROMAGE

1 PÂTES À LA CRÈME

1 BOUTEILLE D'EAU

1 GLACE AU CHOCOLAT

1 COMPOTE DE POMMES

2. Observe les deux dessins et trouve les 6 différences.

Compréhension orale

1. Écoute les descriptions et associe les images avec les personnes. **59**

1  2  3  4  5  6

a Ma tante   **b** Mon oncle   **c** Ma sœur   **d** Ma mère   **e** Mon père   **f** Mon frère

Production orale

1. Parle de toi et réponds aux questions.

- Comment tu t'appelles ?
- Tu as quel âge ?
- Tu habites où ?
- Tu as des frères ou des sœurs ?
- Quels sont tes vêtements préférés ?
- Ils sont de quelle couleur ?

2. Observe les images et réponds aux questions.

- Qu'est-ce que c'est ?
- Quel animal tu préfères ?

3. Choisis deux images. Décris les vêtements et les personnes.

Entraînement au DELF Prim A1

Compréhension de l'écrit

1. Lis la lettre de Lilou et montre la bonne photo.

Salut Anna,

Mon père est grand et il a les cheveux courts et marron. Il a des lunettes. Il n'a pas de barbe.

Ma mère est grande et elle a les cheveux blonds. J'ai un frère et une sœur. Mon frère a un tee-shirt rouge. Il a les cheveux marron.

Ma sœur est petite. Elle a les les cheveux blonds.

Ma grand-mère a un pantalon marron. Elle a les cheveux courts et gris. Mon grand-père a un pull vert et un pantalon bleu. Il n'a pas de cheveux.

Lilou

a

b

c

2. Qu'est-ce que Lou mange à la cantine. Lis le menu et dessine les aliments dans ton cahier.

Salade de riz et de tomates
Du pain
Une pomme
Un yaourt aux fruits
Un jus d'orange

Production écrite

1. Recopie la fiche d'identité dans ton cahier et complète.

Nom : ★
Prénom : ★
Âge : ★
Taille : ★
Couleur des yeux : ★
Couleur des cheveux : ★
Couleur préférée : ★
Vêtement préféré : ★

2. Recopie la lettre de Théo dans ton cahier. Remplace les dessins par les mots.

Bonjour les amis !

Je suis à la 🏖 pour mes vacances d'☀. Je porte un 👖 et un 🎩.

Il fait 🌡 et il y a du ☀.

Je mange bien. J'aime la 🍕 et les 🍓.

Mais je n'aime pas le 🍫 et les 🍌.

Et vous, ça va ?

Théo

# ANNEXES

Fêtes et traditions

Joyeux Noël !

Noël, c'est le 25 décembre. Le soir du 24 décembre, on fait le réveillon en famille. On mange la bûche de Noël. C'est un très bon dessert ! Et il y a les cadeaux au pied du sapin de Noël.

Bonjour Marmotte !

Au Québec, le 2 février, c'est le jour de la marmotte. Ce jour-là, tout le monde regarde l'entrée du terrier de la marmotte. La voilà ! Elle sort de son terrier et on ne voit pas son ombre. C'est bon signe. L'hiver est presque fini !

Vive saint Nicolas !

Le 6 décembre, dans l'est et le nord de la France, en Belgique, au Luxembourg et dans certaines régions de la Suisse, on fête saint Nicolas. Saint Nicolas ressemble au père Noël. Le 6 décembre, il donne des cadeaux et des bonbons aux enfants sages. Les enfants donnent une carotte pour l'âne de saint Nicolas.

Des crêpes pour la Chandeleur !

Le 2 février, c'est la Chandeleur. Ce jour-là, en France, on mange des crêpes. Il y a une tradition : on fait sauter les crêpes dans la poêle. Attention, la crêpe ne doit pas tomber par terre !

Ding dong, voilà les cloches de Pâques !

Au printemps, à Pâques, il y a une tradition en France.
On cache des œufs en chocolat dans les jardins.
C'est la chasse aux œufs. Les enfants cherchent
les œufs. Puis ils mangent le chocolat.
Dans certaines régions, les cloches cachent les œufs.
Dans d'autres régions, comme l'Alsace, c'est un lapin.

Porte-bonheur

En France le 1ᵉʳ mai est un jour férié :
il n'y a pas d'école.
C'est le jour de la fête du travail.
Selon la tradition, on offre un brin
de muguet. Ça porte Bonheur !
Hum, ça sent bon !
On achète du muguet partout
dans les rues.

Lis les document et réponds aux questions.

a. Quelles sont les fêtes du mois de décembre ?

b. Décris le père Noël puis décris saint Nicolas.

c. Dans quel pays, on fête le jour de la marmotte ?

d. Quelle est la tradition avec les crêpes en France ?

e. Qui cache les œufs de Pâques ?

f. Qu'est-ce qu'on offre le 1ᵉʳ mai ?

g. Est-ce que ces fêtes existent dans ton pays ? Et est-ce que les traditions sont les mêmes ?

Grammaire

Les articles

Les articles définis

Le : **le** garçon

La : **la** fille

L' : **l'**école

Les : **les** garçons et **les** filles

Les articles indéfinis

Un : **un** crayon

Une : **une** règle

Des : **des** stylos

Les articles partitifs

Je mange **du** jambon.

Tu manges **de la** crème.

Il mange **des** oranges.

Je mange
de la soupe.

Le genre et le nombre

Le masculin et le féminin des adjectifs

Masculin	Féminin
grand	grande
beau	belle
long	longue
vieux	vieille

Mon maître
est beau... il est petit
et très gentil.

Le pluriel des noms

Les chiens sont très grands.

Les chiens sont sportifs.

On ne prononce pas
le « s » du pluriel...

La négation

Ne ... pas

Je ne suis **pas** grand.

Je n'aime **pas** le chocolat.

Je n'aime pas
les chats

Il y a / Il n'y a pas

Il y a des gâteaux.

Il n'y a pas de gâteaux.

Grammaire

Les prépositions de lieu

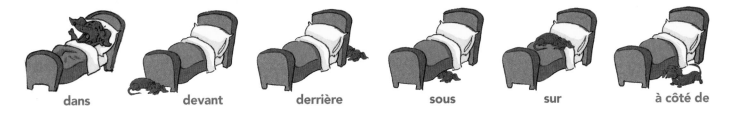

dans   devant   derrière   sous   sur   à côté de

Les adjectifs possessifs

Où est **ton** maître ?

Les adjectifs possessifs

mon frère	**ton** frère	**son** frère
ma sœur	**ta** sœur	**sa** sœur
mes amis	**tes** amis	**ses** amis

Attention : **mon** amie (féminin)

L'appartenance

C'est la robe **de** Lou.
C'est le pantalon **d'**Amina.

Les questions

Interroger sur les choses

Que
– Qu'est-ce que c'est ?
– C'est un chapeau.

Les adverbes interrogatifs

Où ? Comment ?
Comment tu t'appelles ?
Où tu habites ?

Interroger sur les personnes

Qui
– C'est qui ?
– C'est Amina.

Conjugaison

Le présent de l'indicatif

Être

Je	suis
Tu	es
Il/Elle	est
Nous	sommes
Vous	êtes
Ils/Elles	sont

Avoir

J'	ai
Tu	as
Il/Elle	a
Nous	avons
Vous	avez
Ils/Elles	ont

Habiter

J'	habite
Tu	habites
Il/Elle	habite
Nous	habitons
Vous	habitez
Ils/Elles	habitent

Aimer

J'	aime
Tu	aimes
Il/Elle	aime
Nous	aimons
Vous	aimez
Ils/Elles	aiment

S'appeler

Je	m'appelle
Tu	t'appelles
Il/Elle	s'appelle

L'impératif

Chanter

Chante
Chantons
Chantez

Ajouter

Ajoute
Ajoutons
Ajoutez

Les nombres

0 zéro	4 quatre	8 huit	12 douze	16 seize	20 vingt	24 vingt-quatre	28 vingt-huit
1 un	5 cinq	9 neuf	13 treize	17 dix-sept	21 vingt et un	25 vingt-cinq	29 vingt-neuf
2 deux	6 six	10 dix	14 quatorze	18 dix-huit	22 vingt-deux	26 vingt-six	30 trente
3 trois	7 sept	11 onze	15 quinze	19 dix-neuf	23 vingt-trois	27 vingt-sept	31 trente et un

Lexique

Unité 1

un bonbon   un numéro   la clé de sol et la portée   une note de musique   une rue

Unité 2

un cahier   des ciseaux   un crayon   un sac à dos   un taille-crayon   un feutre

une gomme   un livre   une règle   un stylo   une trousse   un tube de colle

une date   un mois   une semaine   un ballon   un anniversaire   un feu d'artifice

égal   moins   plus   blanc   bleu   gris   jaune

marron   noir   orange   rose   rouge   vert

Lexique

Unité 3

 un cadeau

 un CD

 un cerf-volant

 un drone

 un skateboard

 un jeu de réalité virtuelle

 un robot

 un jeu de cartes

 un puzzle

 une télévision

 un avion

 un taxi

 un croissant

 un gâteau

 un hamburger

 une galette

 une souris

Unité 4

 le grand-père

 la grand-mère

 le père

 la mère

 le fils

 la fille

 l'oncle

 la tante

 le cousin

la cousine

 une araignée

 un caméléon

 un chat

 un chien

 un crocodile

 un hamster

 un lapin

 un lion

 un loup-garou

 un oiseau

 un poisson

 un serpent

 une souris

Lexique

une bouche   un bras   des cheveux   un doigt   un cou   une épaule   un genou

une jambe   une main   un nez   un œil   une oreille   un pied   une tête

long   court   frisé   brun   blond   roux   petit   grand

un bonnet   une ceinture   un chapeau   une chaussure   une écharpe   une jupe

des lunettes de soleil   un maillot de bain   un pantalon   un pull   une robe   une sandale   un short   un t-shirt

Il neige.   Il fait froid. L'hiver   Il fait beau. Le printemps   Il fait chaud. Il y a du soleil. L'été   Il pleut. L'automne

Lexique

 le beurre
 un bifteck
 le chocolat
 la confiture
 une crêpe
 la farine
 les frites
 le fromage

 les haricots verts
 le lait
 la levure
 la moutarde
 un œuf
 une omelette
le pain

 une pizza
 le poisson
 une pomme
 la pomme de terre
 le poulet
 le riz
une salade

 une saucisse
 les spaghettis
 le sucre
 une tarte aux pommes
 la tomate
 le yaourt

 une assiette
 un couteau
 une cuillère
 une fourchette
 une nappe
 une serviette
 un verre

 un caddie
 un four
 le petit-déjeuner
 le déjeuner
 le goûter
 le dîner

Transcriptions

Chansons et activités de phonétique

Unité 0

Page 6 - Activité 2

C'est l'alphabet
C'est en français
On va danser
Et s'amuser
A B C D *(2x)*
E F G H *(2x)*
I J K L *(2x)*
M N O P *(2x)*

Q R S T *(2x)*
U V W *(2x)*
X Y Z *(2x)*
C'est l'alphabet
C'est l'alphabet
C'est en français
On va danser
Et s'amuser

Unité 1

Page 10 - Activité 2

Quand il fait jour, je dis bonjour
Quand il fait noir, je dis bonsoir
Quand je pars, je dis au revoir
Et quand je suis poli, je dis merci !

Page 12 - Labo des sons

– Comment tu t'appelles ?
– Je m'appelle Léa.
a. Tu habites où ?
b. Il s'appelle Théo.
c. Elle a quel âge ?
d. J'ai 10 ans.
e. Comment tu t'appelles ?

Unité 2

Page 19 - Labo des sons

vendredi
école
maman
vert

marron
génial
Théo
Amina

Page 20 - Activité 2

Lundi, des raviolis
Mardi, des raviolis
Mercredi, des raviolis
Jeudi, des raviolis
Vendredi, des raviolis
Samedi, des raviolis aussi !

Unité 3

Page 27 - Labo des sons

Saucisse voudrait treize disque
de musique classique.
Un puzzle   Onze
Un disque   Un skateboard

Page 28 - Activité 2

J'aime la galette, savez-vous comment ?
Quand elle est bien faite avec
du beurre dedans.
Tra-la-la-la la, la-la-la-lère
Tra-la-la-la la, la-la-la-la.

Elle aime la galette, savez-vous comment ?
Quand elle est bien faite avec
du beurre dedans.
Tra-la-la-la la, la-la-la-lère
Tra-la-la-la la, la-la-la-la.

Nous aimons la galette, savez-vous comment ?
Quand elle est bien faite avec
du beurre dedans.
Tra-la-la-la la, la-la-la-lère
Tra-la-la-la la, la-la-la-la.

Ils aiment la galette, savez-vous comment ?
Quand elle est bien faite avec
du beurre dedans.
Tra-la-la-la la, la-la-la-lère
Tra-la-la-la la, la-la-la-la.

Unité 4

Page 36 - Activité 4

J'aime papa, j'aime maman
J'aime mon p'tit chat, mon p'tit chien,
mon p'tit frère
J'aime papa, j'aime maman,
J'aime ma grand-mère et mon gros
éléphant.

Page 38 - Labo des sons

Le loup-garou hurle à la lune
1. Salut les loulous !
2. Lucien aime les hiboux.
3. Boubou le chat est très doux.
4. Le hamster joue dans sa cage.
5. Titou est le chien de Lulu.
6. Au secours, un loup-garou !!!

Unité 5

Page 44 - Activité 1

Tête, épaules et genoux pieds, genoux pieds.
Tête, épaules et genoux pieds, genoux et pieds.
J'ai un front et un nez, deux yeux et deux oreilles.
J'ai des dents, une bouche, un menton et des cheveux.
J'ai un cou, une poitrine, un dos et puis un ventre.
J'ai deux mains et deux bras, deux coudes et puis
des doigts.

Page 46 - Labo des sons

Robe   Vieux   Blanc
Verte   Beau   Cheveux

Unité 6

Page 53 - Labo des sons

Pêche, poire et orange
C'est des fruits et on les mange.
Pêche, poire et melon
C'est des fruits et c'est bien bon !

Page 54 - Activité 3

Je suis une pizza
Avec du fromage
Beaucoup de sauce
Des tomates
Des oignons, des champignons
Épices mélangées
Je suis une pizza, prête à manger
Oh ! Je suis une pizza
Pepperoni
Pas d'anchois
Ou « Phoney Bologna »
Oh ! Je suis une pizza
Téléphone-moi
Je suis une pizza, apporte-moi chez toi.
Oh ! Je suis une pizza
Du poivron vert
Je vais du four
Jusqu'à la boîte
Dans la voiture
À l'envers
Je suis une pizza, tombée par terre
Oh ! J'étais une pizza
Trésor de la cuisine
Je suis une pizza
Tombée en ruine !

Crédits photos

Couverture : Cherry-Merry / Adobe Stock ; sommai / Adobe Stock

Page 5 : ioStephy.it / Adobe Stock ; Kundra / Adobe Stock – **page 6** : ivoha13 / Adobe Stock ; M.studio / Adobe Stock ; helenedevun / Adobe Stock ; atoss / Adobe Stock ; Gresei / Adobe Stock ; DenisNata / Adobe Stock ; dell / Adobe Stock ; Delphimages / Adobe Stock ; Aygul Bulté / Adobe Stock – **page 7** : Etienne George/Corbis ; Micheline Pelletier/Sygma/Corbis ; lili.b / Adobe Stock ; adimas / Adobe Stock ; Sean Nel / Adobe Stock – **page 8** : axeldrosta / Adobe Stock ; axeldrosta / Adobe Stock ; pololia / Adobe Stock ; djvstock / Adobe Stock ; Giuseppe_R / Adobe Stock – **page 11** : auremar / Adobe Stock ; photophonie / Adobe Stock ; Gorilla / Adobe Stock ; seventyfour / Adobe Stock ; jovannig / Adobe Stock – **page 12** : travnikovstudio / Adobe Stock ; Alexey Fedorenko / Adobe Stock ; Gorilla / Adobe Stock ; MangAllyPop@ER / Adobe Stock – **page 13** : MG / Adobe Stock ; Eléonore H / Adobe Stock ; photocreo / Adobe Stock – **page 15** : NicOlas JARDIMAGE / Adobe Stock (carte) ; rfvectors.com / Adobe Stock (picto localisation) ; pico / Adobe Stock ; (drapeaux) ; Lotharingia / Adobe Stock ; robyelo357 / Adobe Stock ; a_medvedkov / Adobe Stock ; Max Topchii / Adobe Stock ; jerome berquez / Adobe Stock ; Valerii Honcharuk / Adobe Stock ; Elenarts / Adobe Stock ; annanahabed / Adobe Stock ; ekix / Adobe Stock ; Riccardo Niels Mayer / Adobe Stock ; fda474 / Adobe Stock ; ChantalS / Adobe Stock ; aomvector / Adobe Stock ; diak / Adobe Stock ; Nikolai Tsvetkov / Adobe Stock – **page 18** : Unclesam / Adobe Stock ; ibphoto / Adobe Stock ; Comugnero Silvana / Adobe Stock ; ohishiftl / Adobe Stock ; ibphoto / Adobe Stock ; alexvav / Adobe Stock ; nata777_7 / Adobe Stock ; lucadp / Adobe Stock ; PL.TH / Adobe Stock ; design56 / Adobe Stock ; mvtejero / Adobe Stock ; Veniamin Kraskov / Adobe Stock – **page 19** : julien / Adobe Stock – **page 20** : Roslen Mack / Adobe Stock – **page 21** : choucashoot / Adobe Stock ; ManicBlu / Adobe Stock ; lev dolgachov / Adobe Stock ; BillionPhotos.com / Adobe Stock – **page 23** : Oksix / Adobe Stock ; Living Legend / Adobe Stock ; pixelfreund / Adobe Stock – **page 24** : beckystarsmore / Adobe Stock ; gna60 / Adobe Stock (blanc) ; vectorplus / Adobe Stock ; samiramay / Adobe Stock ; julien / Adobe Stock – **page 26** : valdis torms / Adobe Stock ; eyetronic / Adobe Stock ; Unclesam / Adobe Stock – **page 27** : alain wacquier / Adobe Stock ; afm_photo / Adobe Stock ; Livii Androni / Adobe Stock ; Nikolai Sorokin / Adobe Stock ; studioimage41 / Adobe Stock ; Kletr / Adobe Stock ; naka – stock / Adobe Stock ; Anton Gvozdikov ; M. Schuppich / Adobe Stock – **page 29** : BIS / Ph. Frédéric Hanoteau © Archives Nathan ; BIS / Ph. © Archives Nathan © Succession Picasso ; Collection / Active Museum / Le Pictorium ; eyetronic / Adobe Stock – **page 31** : avarooa / Adobe Stock (carte) ; djtaylor / Adobe Stock ; Shannon Fagan / Adobe Stock ; curto / Adobe Stock ; Phimak / Adobe Stock ; Stuart Monk / Adobe Stock ; pololia / Adobe Stock ; Renate Wefers / Adobe Stock ; nophamon Yanyapong / Adobe Stock – **page 33** : Fox / Adobe Stock ; Brad Pict / Adobe Stock ; alexvav / Adobe Stock ; ALF photo / Adobe Stock ; volmon / Adobe Stock ; nikkytok / Adobe Stock ; Kiko Jimenez/ Adobe Stock – **page 34** : kazy / Adobe Stock ; volmon / Adobe Stock ; VASYL / Adobe Stock ; Vectorvstocker ; ma_sa / Adobe Stock – **page 36** : WavebreakMediaMicro / Adobe Stock – **page 38** : pirotehnik / Adobe Stock ; lunamarina / Adobe Stock – **page 39** : BIS / Ph. H. Josse © Archives Larbor ; BIS / Ph. © Etienne Carjat - Coll. Archives Larbor ; BIS / Ph. H. Manuel - Coll. Archives Larbor ; BIS / Ph. Josse © Archives Larbor ; fotomaster / Adobe Stock ; Subbotina Anna / Adobe Stock ; tarasov_vl / Adobe Stock ; Stills-Online / Adobe Stock ; Catherine CLAVERY ARBREespies / Adobe Stock ; espies / Adobe Stock – **page 41** : Javier brosch / Adobe Stock ; Judith Dzierzawa / Adobe Stock ; OTS-PHOTO / Adobe Stock ; mathaywardphoto.com / Adobe Stock ; Lysenko.A / Adobe Stock ; Alexey / Adobe Stock ; (c) Kzenon / Adobe Stock – **page 42** : LUCASFILM LTD / Ronald Grant Archive/The Ronald Grant Archive / Photononstop – **page 44** : Ljupco Smokovski / Adobe Stock ; Andrey_Arkusha / Adobe Stock – **page 45** : DPA / Photononstop ; Collection Christophel – **page 47** : M. Schuppich / Adobe Stock ; GOLUBEV_ANDREY / Adobe Stock ; juliko77 / Adobe Stock ; exopixel / Adobe Stock ; Valentin / Adobe Stock ; adisa / Adobe Stock ; Cauvin et Laudec © DUPUIS, 2019 – **page 49** : paisan191 / Adobe Stock ; Balate Dorin / Adobe Stock ; A. Karnholz / Adobe Stock ; Cifotart / Adobe Stock ; shotsstudio / Adobe Stock ; Joseph HILFIGER / Adobe Stock – **page 52** : volff / Adobe Stock ; fotomatrix / Adobe Stock ; Raths / Adobe Stock ; Mara Zemgaliete / Adobe Stock ; margo555 / Adobe Stock ; Uros Petrovic / Adobe Stock ; guy / Adobe Stock – **page 53** : ©yvdavid / Adobe Stock ; atoss / Adobe Stock ; Maks Narodenko / Adobe Stock ; Popova Olga / Adobe Stock – **page 55** : Jacques PALUT / Adobe Stock – **page 57** : axellwolf / Adobe Stock ; Paul Binet / Adobe Stock ; reneberger123 / Adobe Stock ; tbralnina / Adobe Stock ; Meliha Gojak / Adobe Stock ; alexlmx2016/ Adobe Stock ; Furo Felix Photography / Adobe Stock ; circleps / Adobe Stock ; Floki Fotos / Adobe Stock ; esoxx / Adobe Stock ; aperturesound / Adobe Stock ; Andris Tkachenko / Adobe Stock ; Chris Brignell / Adobe Stock ; jurij_kachkovskij/ Adobe Stock ; Saskia Massink / Adobe Stock ; kiv_ph / Adobe Stock – **page 59** : Jordache / Adobe Stock ; (c)2012 by srphotos / Adobe Stock ; kaittisak / Adobe Stock – **page 62** : AlexanderNovikov ; vulcanus / Adobe Stock ; alisa_rut / Adobe Stock ; lifeonwhite.com / Adobe Stock ; mlehmann78 / Adobe Stock ; georgpfluegl / Adobe Stock ; ©KD_65 / Adobe Stock ; Catalin Petolea / Adobe Stock – **page 63** : pavkis / Adobe Stock ; EvgeniiAnd / Adobe Stock ; valerio.pardi@gmail.com / Adobe Stock ; helenedevun / Adobe Stock

Directrice éditoriale : Béatrice Rego
Édition : Sylvie Hano
Conception maquette intérieure : Emma Navarro
Conception et réalisation couverture : Sophie Ferrand
Mise en pages : Christine Paquereau
Illustrations : Oscar Fernández / Conrado Giusti
Enregistrements : Vincent Bund – K@production
Vidéo : BAZ
Animations : Batra Art Press

© CLE International 2019
ISBN : 978-209-035000-5

Imprimé en Italie en avril 2019 par «La Tipografica Varese Srl», Varese